M000104944

DOODLERS ANONYMOUS
COLORING BOOK

Una extraordinaria mezcla de bocetos, dibujos y en definitiva
pequeñas obras de arte ilustrado listas para colorear

RONY TAKO (OKAT)
HUGO SEIJAS

monsa

Copyright © 2016 Doodlers Anonymous and The Monacelli Press.
All rights reserved.
Illustration rights are retained by the individual artists.

Diseño: Jennifer K. Beal Davis
Monacelli Studio
www.monacellipress.com

© para lengua Española:
INSTITUTO MONSA DE EDICIONES
Gravina 43 (08930)
Sant Adrià de Besòs
Barcelona (España)
Tlf. +34 93 381 00 50
www.monsa.com
monsa@monsa.com

Visit our official online store!
www.monsashop.com
Follow us on facebook!
facebook.com/monsashop

Diseño de cubierta: Monsa Publications
Ilustraciones cubierta: Ezequiel Terán, Pyl Nguyen, Enling Lu, Muxxi, Carmen Higkson,
Trevor Romain, Jim Bradshaw, Grace Fraraggio, Amaia Arrazola, Heather J. Annis
Ilustraciones contra: Mouni Feddag, Freya Harrison, Chris Mostyn, Polly Lindsay

ISBN 978-16500-20-8
D.L. B 6970-2016
Impreso por : Limpergraf

"Queda prohibida, salvo excepción prevista en la ley, cualquier forma de reproducción, distribución,
comunicación pública y transformación de esta obra sin contar con la autorización de los titulares
de propiedad intelectual. La infracción de los derechos mencionados puede ser constitutiva de delito
contra la propiedad intelectual (Art. 270 y siguientes del Código Penal). El Centro Español de Derechos
Reprográficos (CEDRO) vela por el respeto de los citados derechos".

INTRODUCCIÓN

DIBUJAMOS TODO EL TIEMPO, A TODAS HORAS, CON LO PRIMERO QUE CAIGA EN NUESTRAS MANOS.

Fundamos Doodlers Anonymous en 2008 para celebrar nuestra adicción — esa incesante necesidad de dibujar, de hacer bocetos, de garabatear, ya sea con un lápiz en un libreta de notas, con un rotulador en una servilleta, con un bolígrafo en un recibo o con un taker en hormigón.

Además de ser un hogar permanente para el arte espontáneo, Doodlers Anonymous es un blog de arte moderno que contiene un amplio catálogo de creativa inspiración, entrevistas de artistas contemporáneos, motivadores retos, revelaciones, y un muestrario de objetos artísticos. Desde su inicio, Doodlers Anonymous ha expuesto a miles de artistas e ilustradores de moda, y se ha convertido en una comunidad internacional de creadores y aficionados al arte que comparten la pasión por el dibujo.

La parte artística de este libro para colorear fue objeto de un concurso abierto a propuestas por parte de la comunidad de Doodlers Anonymous. Recibimos más de 2.500 ilustraciones que fueron cuidadosamente seleccionadas hasta obtener la colección que se encuentra ahora entre tus manos.

Así que coge un bolígrafo, algunos lápices de colores, y empieza a disfrutar. Se dice que colorear es terapéutico, lo que nosotros sabemos, es que es divertido. Con un inmenso placer, os presentamos DOODLERS ANONYMOUS COLORING BOOK.

Rony Tako (alias OKAT)
Editor y Fundador
DOODLERS ANONYMOUS

No dudes en enseñar tus creaciones coloreadas, haz fotos y súbelas a Instagram, Twitter y Tumblr con # doodlersanonymous :)

ILLUSTRATION CREDITS

Allison Chow
allisonchow.carbonmade.com

Amaia Arrazola
amaiaarrazola.com

Amelia Grace Gossman
amelia-grace-illustration.com

Ana Sebastián
anasebastian.es

Annette Fernando
annettefernando.carbonmade.com

Aphrodite Delaguiado
drowmorecreative.com.au

Apoken
flickr.com/photos/apoken

Ashlie Gash
ashliegash.weebly.com

Aśka
inkablack.com

Badbuzz
cargocollective.com/badbuzz

Bela Unclecat
belaunclecat.com

Buzzferkchurnt
instagram.com/buzzferkchurnt

Carmen Hickson
behance.net/carmenhickson

Cath Ford
cathintheattic.com

Cherry Wynn-Williams
cherryww.com

Chris Mostyn
chrismostyn.weebly.com

Chucho Nieto
itschucho.com

cjloo
behance.net/cjloo

Cynthia Bataille
aroomfulofcandy.com

Diana Koehne
dianakoehne.de

Duqduq
duqduq.tumblr.com

Ellen Leber
ellenleber.com

Enling Lu
enlinglu.com

Ethan Dyckman
instagram.com/1998tides

Ezequiel Terán
behance.net/ezequielteran

Fabiola Marchant
poorandfree.tumblr.com

failasufaan
behance.net/failasufaka7a7

Francisco Toledo
toledofrancisco.tumblr.com

Frenemy (Kristopher Kotcher)
frenemylife.com

Freya Harrison
freyaillustration.co.uk

Gemma Correll
gemmacorrell.com

Gizem Vural
gizemvural.net

Grace Fraraccio
dancingfoxillustrations.com

Greta Alice
behance.net/GretAlice

HABBENINK
habbenink.com

Heather J. Annis
superauggie.weebly.com

Ink Klub/Clare Brown
inkklub.tumblr.com

Jeff Dowdy
15minute.tumblr.com

Jernej the Giant
gentlegiant.me

Jim Bradshaw
jimbradshawillustration.blogspot.
com

Josh LaFayette
joshlafayette.com

Juan Pez
juanpez.com

Kelsey Wroten
jukeboxcomix.com

Kim Geiser
kimgeiserstudios.com

Laura Lea
laura-meadow.tumblr.com

Loredana Micu
behance.net/LoredanaMicu

Lorna Doyle
lorna-doyle.com

Louise Isbjørn
louiseisbjoern.ch

Madame Fourmilion
madamefourmilion.com

Magda Żmijowska
zmijowska.pl

Mair Perkins
illustration.mairperkins.co.uk

Marcus Yeo
instagram.com/marcus_yo

Maria Garcia Cortadella
mariagarciaillustration.com

María Victoria Rodríguez
victoriarodriguez.com.ar

Miss Wearer
misswearer.com

Mouni Feddag
mounifeddag.com

Muxxi
muxxi.me

Nadia Keifens
nadiakeifens.com

Natsuki Otani
natsukiotani.co.uk

Nicola Brady
nicolabradystudio.com

Nigel Sussman
nigelsussman.com

ningun lugar esta lejos
flickr.com/photos/ampolletas

Noa Mishkin
noamishkinot@gmail.com

Oilikki
dribbble.com/oilikki

OKAT
iamokat.com

PAIartist
facebook.com/PAIartist

Paulo Correa
instagram.com/pauloexmachina

POKE
behance.net/poke

Polly Lindsay
pollylindsay.com

Pyl Nguyen
behance.net/mrpyl

Rāzvan Cornici
razvancornici.ro

The Redwood Arrow Studio
redwoodarrowstudio.blogspot.com

Robyn Ridley Illustration
cargocollective.com/robynridley

Salih Gonenli
instagram.com/salihgonenli

Sandy Steen Bartholomew
beezinthebelfry.com

Sarah Wallis
behance.net/sarahwallis

ShuAnn Lai
behance.net/shuannlai

Skinkeape
marianneengedal.wix.com/
skinkeape

Sophie Corrigan
sophiecorrigan.com

Susanne Low
susannelow.com

Teektura
facebook.com/teektura

Tim Easley
timeasley.com

Titwane
titwane.fr

Trent Call
trentcall.com

Trevor Romain
thetrevorhood.com

Tuomas Kärkkäinen
pencilteeth.com

Vanessa Teodoro
thesupervan.com

Von Lamb
TheBlackSoup.com

Yeyei Gómez
yeyeigomez.com

Zuzu Galova
theycallmezuzu.com

DRAWN BY
JEFF DOWDY

DRAWN BY
MARIA GARCIA CORTADELLA

DRAWN BY
TEEKTURA

DRAWN BY
MISS WEARER

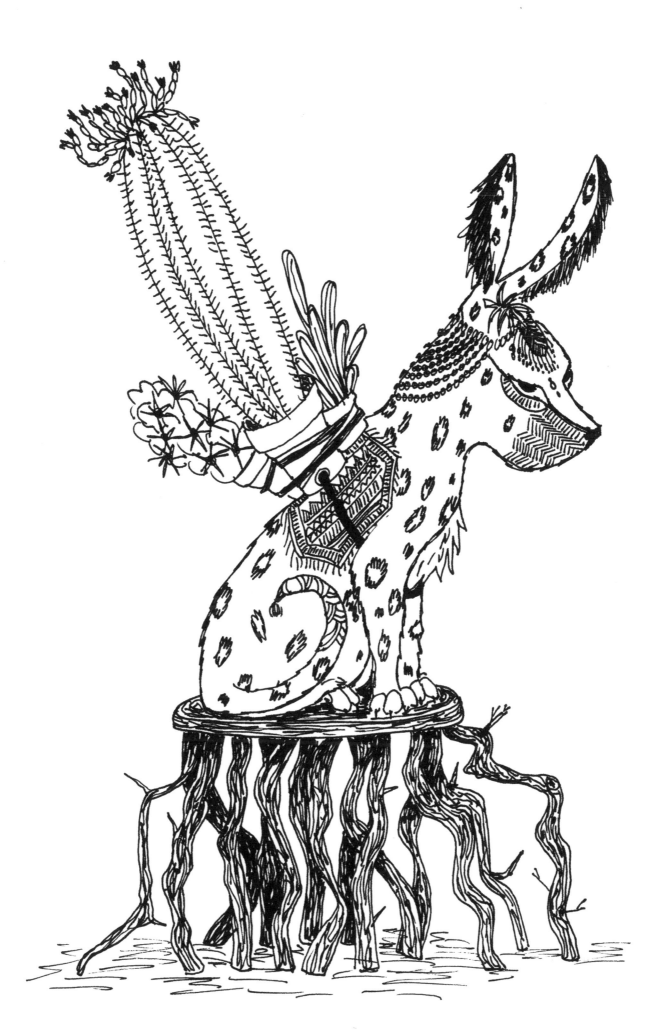

DRAWN BY
MADAME FOURMILION

DRAWN BY
APHRODITE DELAGUIADO

DRAWN BY
NINGUN LUGAR ESTA LEJOS

DRAWN BY
TIM EASLEY

DRAWN BY
BUZZFERKGHURNT

DRAWN BY
EZEQUIEL TERÁN

DRAWN BY
SOPHIE CORRIGAN

DRAWN BY
YEYEI GÓMEZ

DRAWN BY
PYL NGUYEN

DRAWN BY
NATSUKI OTANI

DRAWN BY
FAILASUFAAN

DRAWN BY
MOUNI FEDDAG

DRAWN BY
PAIARTIST

DRAWN BY
AMELIA GRACE GOSSMAN

DRAWN BY
POKE

DRAWN BY
GJLOO

DRAWN BY
ENLING LU

DRAWN BY
MAGDA ŻMIJOWSKA

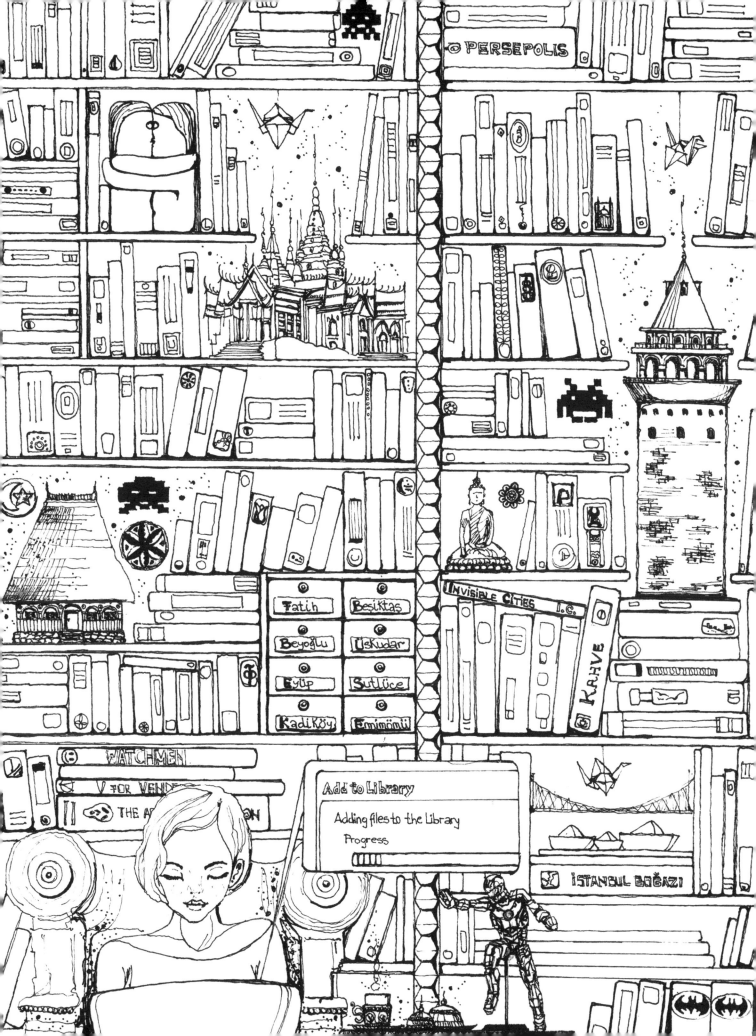

DRAWN BY
LOREDANA MICU

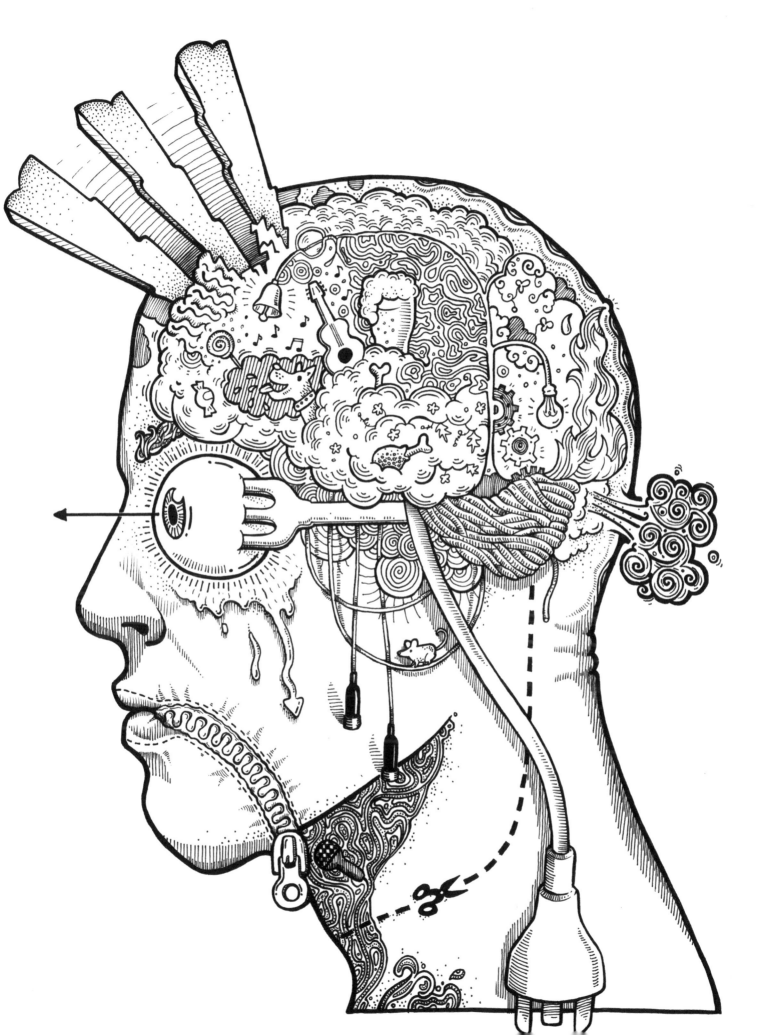

DRAWN BY
AŚKA

DRAWN BY
SANDY STEEN BARTHOLOMEW

DRAWN BY
ETHAN DYCKMAN

DRAWN BY
RĀZVAN CORNICI

DRAWN BY
THE REDWOOD ARROW STUDIO

DRAWN BY
CHUCHO NIETO

DRAWN BY
ALLISON CHOW

DRAWN BY
ANA SEBASTIÁN

DRAWN BY
JUAN PEZ

DRAWN BY
MUXXI

DRAWN BY
BADBUZZ

DRAWN BY
MAIR PERKINS

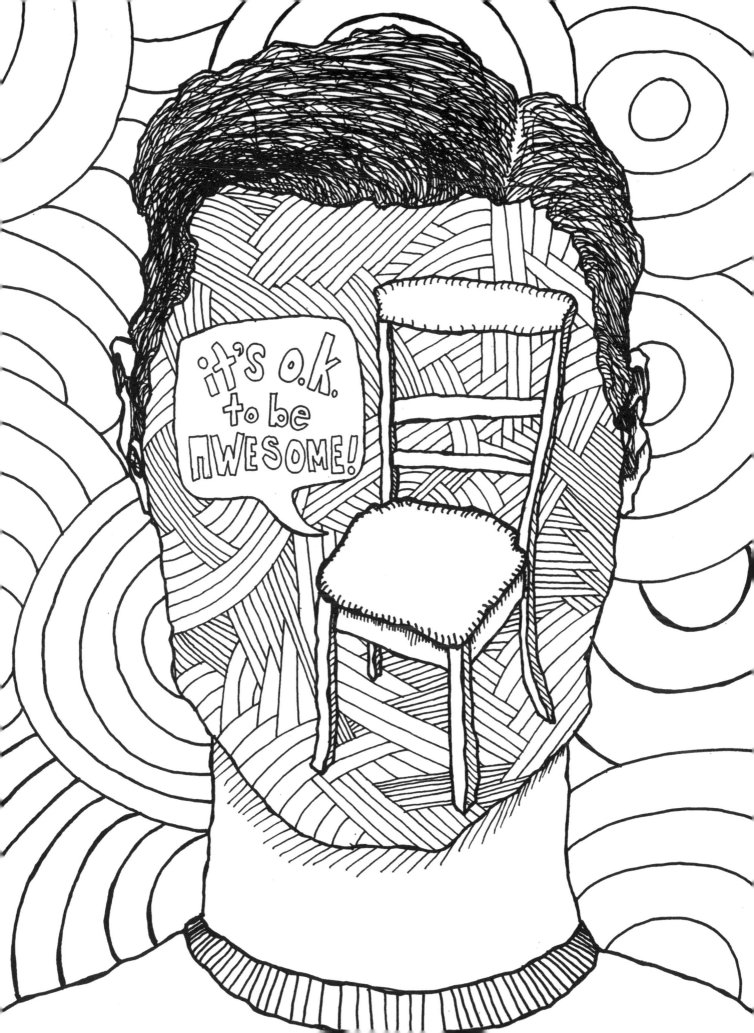

DRAWN BY
JOSH LAFAYETTE

DRAWN BY
MARCUS YEO

DRAWN BY
OILIKKI

DRAWN BY
GRETA ALICE

DRAWN BY
ZUZU GALOVA

DRAWN BY
JERNEJ THE GIANT

DRAWN BY
VON LAMB

DRAWN BY
SHUANN LAI

DRAWN BY
SKINKEAPE

DRAWN BY
ANNETTE FERNANDO

DRAWN BY
HABBENINK

DRAWN BY
ELLEN LEBER

DRAWN BY
KIM GEISER

DRAWN BY
BELA UNCLECAT

DRAWN BY
NIGEL SUSSMAN

DRAWN BY
FREYA HARRISON

DRAWN BY
FRENEMY (KRISTOPHER KOTCHER)

DRAWN BY
CHRIS MOSTYN

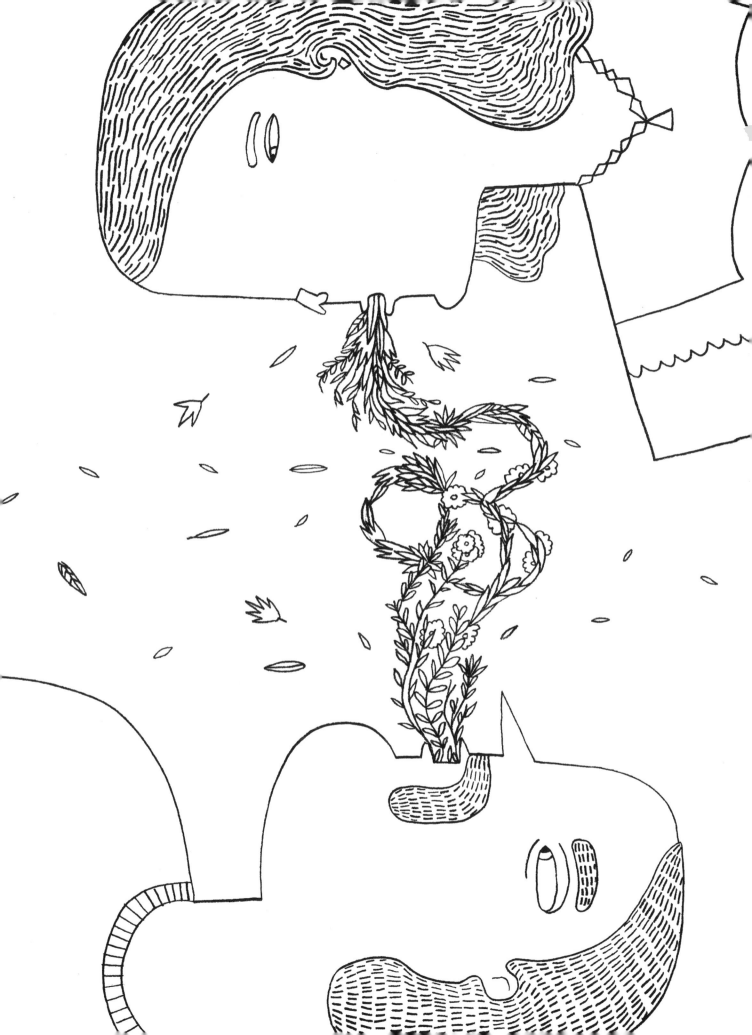

DRAWN BY
MARÍA VICTORIA RODRÍGUEZ

DRAWN BY
TRENT GALL

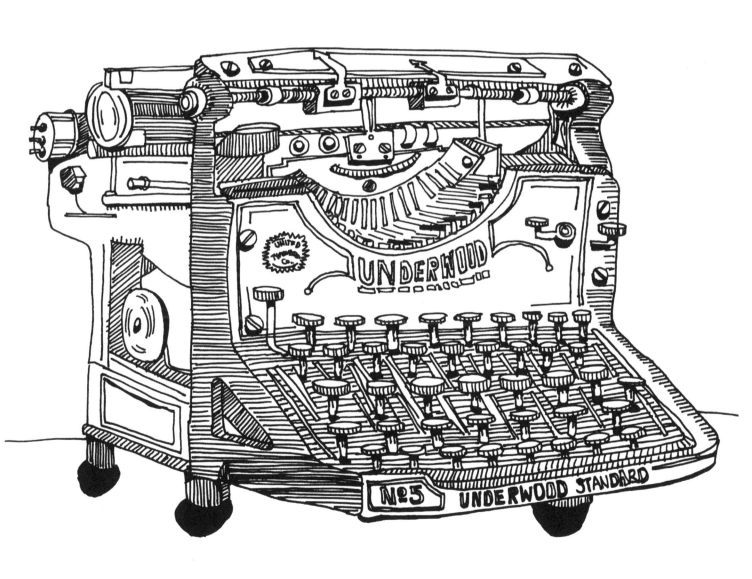

DRAWN BY
CHERRY WYNN-WILLIAMS

DRAWN BY
LORNA DOYLE

DRAWN BY
TITWANE

DRAWN BY
PAULO CORREA

DRAWN BY
DUQDUQ

DRAWN BY
CARMEN HICKSON

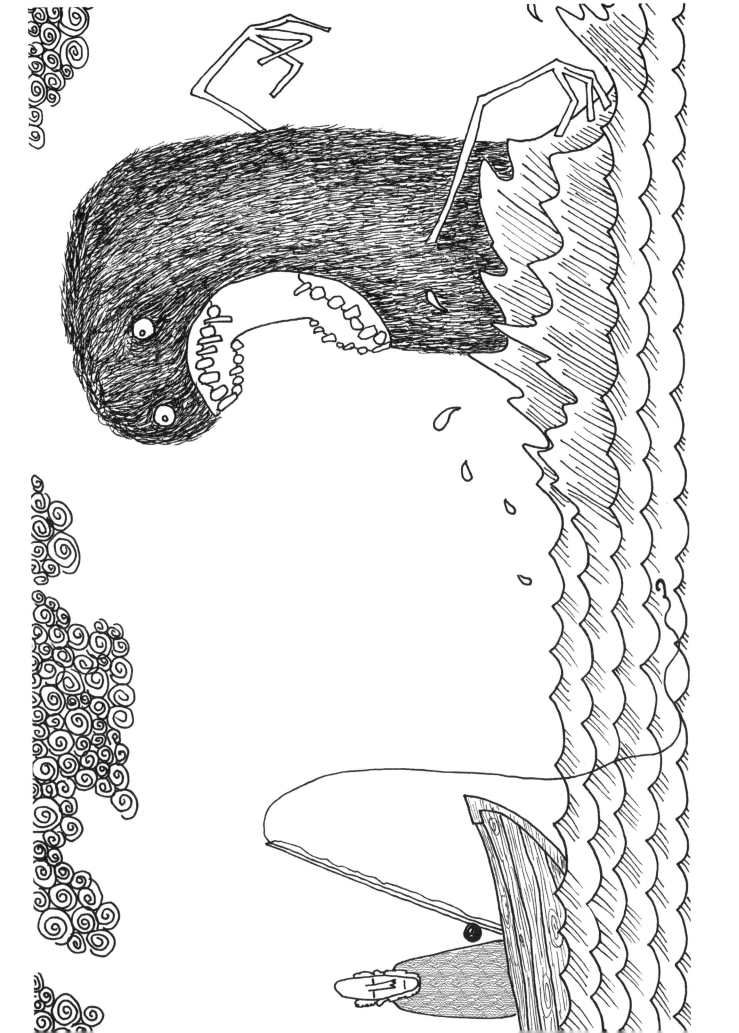

DRAWN BY
FRANCISCO TOLEDO

DRAWN BY
SUSANNE LOW

DRAWN BY
CATH FORD

DRAWN BY
SALIH GONENLI

DRAWN BY
POLLY LINDSAY

DRAWN BY
APOKEN

DRAWN BY
SARAH WALLIS

DRAWN BY
INK KLUB/CLARE BROWN

DRAWN BY
FABIOLA MARCHANT

DRAWN BY
NADIA KEIFENS

DRAWN BY
CYNTHIA BATAILLE

DRAWN BY
NICOLA BRADY

DRAWN BY
TREVOR ROMAIN

DRAWN BY
VANESSA TEODORO

DRAWN BY
ASHLIE GASH

DRAWN BY
TUOMAS KÄRKKÄINEN

DRAWN BY
DIANA KOEHNE

DRAWN BY
ROBYN RIDLEY ILLUSTRATION

DRAWN BY
JIM BRADSHAW

DRAWN BY
GRACE FRARACCIO

DRAWN BY
NOA MISHKIN

DRAWN BY
LAURA LEA

DRAWN BY
GIZEM VURAL

DRAWN BY
LOUISE ISBJØRN

DRAWN BY
AMAIA ARRAZOLA

DRAWN BY
KELSEY WROTEN

CATS LOVE HATS

IT'S A WELL KNOWN FACT - JUST LIKE DOGS LOVE LOGS,
PARROTS LOVE CARROTS AND ELEPHANTS LOVE ... ER ... CAKE?

CAN YOU DESIGN
A HAT FOR THIS
CAT?

MIAOW

WHY NOT
GIVE HIM A
FUNKY
BOW TIE?

DRAWN BY
GEMMA CORRELL

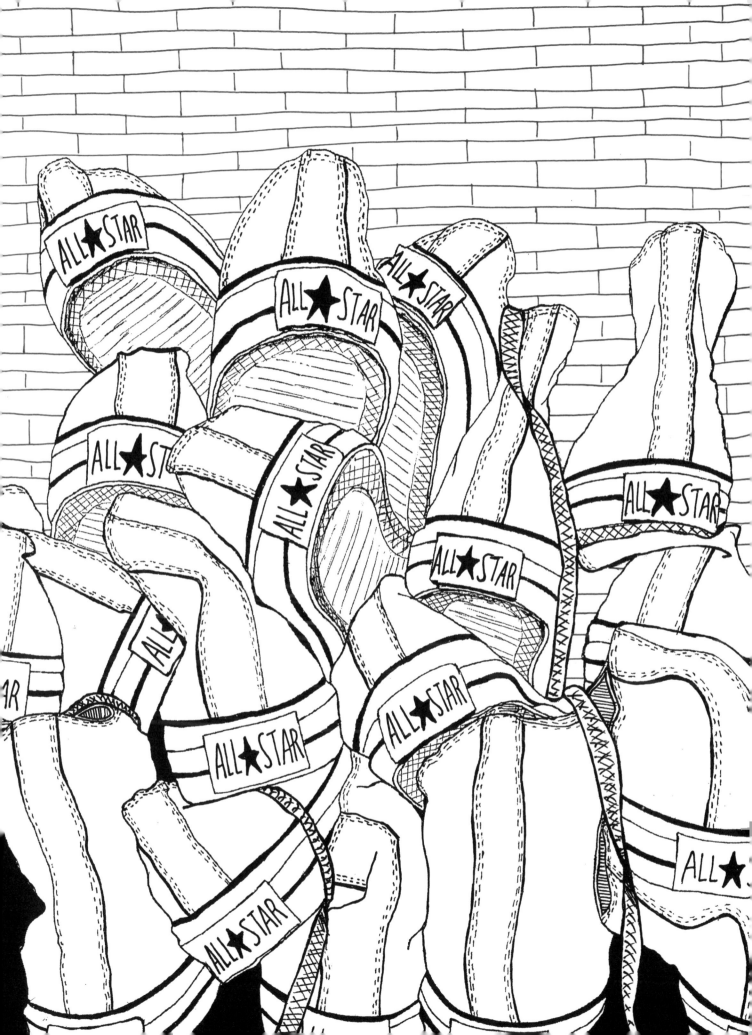

DRAWN BY
OKAT

DRAWN BY
HEATHER J. ANNIS